Character · 등장인물 ·

밀짚모자 일당

쵸파에몬 【 닌자 】
토니토니 쵸파

'새의 왕국'에서 '강한 약' 연구에 몰두하다, 재합류에 성공.

[선의 현상금 100베리]

루피타로 【 낭인 】
몽키·D·루피

해적왕을 꿈꾸는 청년. 2년의 수련을 거치고 동료와 합류, 신세계로 향한다!

[선장 현상금 15억베리]

오로비 【 게이샤 】
니코 로빈

혁명군 리더이자 루피의 아버지 드래곤이 있는 바르티고를 거쳐, 합류.

[고고학자 현상금 1억 3000만베리]

조로주로 【 낭인 】
롤로노아 조로

어두우르가나 섬에서 자존심을 버리고 미호크에게 검의 가르침을 간청. 이후 합류에 성공.

[전투원 현상금 3억 2000만베리]

프라노스케 【 목수 】
프랑키

'미래국 벌지모아'에서 자신의 몸을 더욱 개조. '아머드 프랑키'가 되어 합류.

[조선공 현상금 9400만베리]

오나미 【 여닌자 】
나미

기후를 연구 분석하는 나라, 작은 하늘섬 '웨더리아'에서 신세계의 기후를 배워 합류.

[항해사 현상금 6600만베리]

본키치 【 유령 】
브룩

수장족에게 잡혀 구경거리가 되었으나. 대스타 '소울 킹' 브룩으로 출세해 합류.

[음악가 현상금 8300만베리]

우소하치 【두꺼비 기름장수】
우솝

보인 열도에서 '저격의 제왕'이 되기 위해 헤라클레스의 가르침을 받고 합류.

[저격수 현상금 2억베리]

Shanks
샹크스

'사황' 중 한 사람. '위대한 항로' 후반 신세계에서 루피를 기다린다.

[빨간 머리 해적단 선장]

상고로 【 소바장수 】
상디
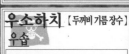

'뉴하프만 왕국'에서 뉴커머 권법의 고수들과 대전, 한층 더 성장하여 합류.

[요리사 현상금 3억 3000만 베리]

· 하트 해적단 ·

잠발

[하트 해적단 선원]

샤치

[하트 해적단 선원]

펭귄

[하트 해적단 선원]

베포

[하트 해적단 항해사]

트라팔가 로

[하트 해적단 선장]

· 모코모 공국 ·

전령(쇼카)의 시실리안

[이누아라시 총사대 대장]

완다 (개 밍크)

[전수민족·왕의 새]

캐럿 (토끼 밍크)

[전수민족·왕의 새]

네코마무시 나리

[모코모 공국·밤의 왕]

이누아라시 공작

[모코모 공국·낮의 왕]

· 와노쿠니 ·

오키쿠

[와노쿠니의 사무라이]

소낙비 칸주로

[와노쿠니의 사무라이]

안개의 라이조

[와노쿠니의 닌자]

여우불 킨에몬

[와노쿠니의 사무라이]

코즈키 모모노스케

[와노쿠니 쿠리 다이묘 (후계자)]

시노부

[베테랑 여닌자]

슈텐마루

[아타마야마 도적단 두령]

오츠루 [킨에몬의 아내]

[찻집 점주]

텐구야마 히테츠

[도공]

오타마

[와노쿠니 쿠리에 사는 아이]

하지만 루피가 우연히 만난 오타마를 카이도의 부하로부터 지킨 사건이 발단이 되어 루피의 존재가 카이도 측에 들통나고 쫓기는 몸이 되고 마는데! 그 후, 킨에몬 일행과 합류한 루피는 모모노스케 일행이 20년 전의 와노쿠니에서 '시간을 뛰어넘어 왔다'는 사실을 알게 된다!! 오뎅의 염원을 이루기 위해 2주일 후 와노쿠니를 좌지우지하는 카이도가 지내는 섬 '오니가시마'로 습격을 결행한다! 그러던 차, 갑작스레 하늘에서 나타난 것은, 거대한 용의 모습을 한 카이도였다!!

백수 해적단

백수의 카이도
【 사황 】

수 차례 고문과 사형을 당하고도 아무도 그를 죽일 수 없어 '최강의 생물'로 불리는 해적

[백수 해적단 선장]

가뭄해 잭

[백수 해적단 대간판]

바질 호킨스

[백수 해적단 '신우치']

스피드

[백수 해적단 '신우치']

홀덤

[백수 해적단 '신우치']

카미지로

[홀덤의 배]

배트맨

[백수 해적단 '기프터즈']

가젤맨

[백수 해적단 '기프터즈']

마우스맨

[백수 해적단 '기프터즈']

?

쿠로즈미 오로치

[와노쿠니 쇼군]

말뚝잠 쿄시로

[쿠로즈미 가문 전속 환전상]

Story · 줄거리 ·

2년의 수행을 거치고, 샤본디 제도에서 재집결에 성공한 밀짚모자 일당. 그들은 어인섬을 거쳐 마침내 최후의 바다, '신세계'에 이른다!! 루피 일행은 칠무해 도플라밍고를 쓰러트리고 사황 빅 맘과 한바탕 소동을 거쳐 '사황 카이도 격파'를 향해서 와노쿠니에 상륙. 선발대 로빈 일행은 다가올 카이도와의 결전에 대비해 은밀 행동중./

ONE PIECE
vol. 92
오이란 코무라사키 등장

CONTENTS

제 922 화
'백수 해적단 총독
카이도'

표지 리퀘스트 '쿵후 듀공을 부하로 삼아 어인 공수도를 가르치는 코알라'
사쿠시 PN : 음메~~

8

'인공 악마의 열매 SMILE'의 '어둠 속 거래'.

도플라밍고와 시저가 생산했던

카이도가 이 나라에서 만드는 '무기'와…

—하지만 그저 그뿐이야……!!

루피 공?!

루피, 어디가?!

나와 밀짚모자의 목이다!!

거래처 도플라밍고를 감옥으로 보내 괴멸시켰지. —오히려

—그 근원인 공장을 '펑크 하자드', '드레스로자'에서 박살내고

싸움을 건 것은 이쪽이고… 녀석이 노리는 건

냉정하게 생각해라.

체류 중인 게 확정 돼!! 그럼 대수색이 시작되겠지!!

이 이상 다른 누구 얼굴이 들키면 '밀짚모자 일당'과 '하트'는 전원 다

쫓지 마, 내가 간다!!!

?!

내버려 두고 싶다만…

──그럼 자네들은 어쩌고.

알겠지?

너희의 '작전'은 무사해!!

들킨 건 우리 뿐.

결전의 날에 올 사람이 모이지 않아선 '동맹'의 의미가 없어.

──내가 어떻게든 하고 올게.

감정으로 움직였다간 작전에 지장이 생길 테지.

'밀짚모자'는 이미 이 나라의 인간에게 관여해버렸다.

떨어져 있던 몇 시간 사이 대체 뭘 한 거야…!!

루피 녀석.

캡틴!!

팟!

너희는 절대 얼굴 내밀지 마!!!

팟

자네는 돌아가 있게. 츠루는 소인이 구할 것이야!!

어째서 그걸 먼저 말하지 않았나, 키쿠!!

죄송합니다, 킨 님.

——나 원, 보호해 줄 서방도 없을 줄이야!! 장장 20년이거늘.

떡고물 마을 녀석들 괜찮을까?!!

트랑이!!

밀짚모자!!

멍청하긴…!! 그거 봐. '착한 일' 같은 걸 하니까 꼭!!

16

'밀짚모자 루피'와 '트라팔가 로'를 찾고 계신 거라면!!

카이도 총독!!!

저 녀석은 신우치인…!!

?!

놈들은 '오뎅 성터'에!!

숨어있습니다!!

?!

정말이냐?! 그 말이!!

호킨스!!

이제 아무도 없는 저 성터를 없애는 것은

—다만, 요 근래 그 전설의 영향인지

?!

—아뇨, 폭주를 막기 위해 거짓말.

오뎅 성........?!

그런 소리로 오로치 쇼군의 공포를 부추긴다면

산 꼭대기에 미심쩍은 빛을 봤다는 소문을 흘리는 자들이 있고

……

일석이조가 아닐지…!!

오뎅 성이라고오…?! 흐이~~~.

저런 곳에 있었나…. 내게서 'SMILE'을 앗아간…

그립구만……. 확실히 멋진 은신처야….

애송이 놈들 ……!!!

그 밉살스런…!!!

'오뎅 성터'에……?!

히끗……!!

놓치지 않겠다……!!

으엇……!!

오뎅
성을……!!
저 자식이?!

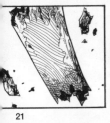

무지막지해.
저 사람은…

삽시간에
……

취기가
가실 틈도
없나…

O (오다) : 아, 라디오 시작한다!

D : '…에 거주하는 오다 에이치로 군이 보낸 리퀘스트!

곡은 SBS를 시작하겠…게겠…게…거거거─

삐∼∼∼∼!!

P.N. 나카하라 로

O : 라디오에서 시작하다니────!!! 戈

D : 곧바로 질문입니다만 어째서
와노쿠니 편에선 '띠잉'이나 '띠리잉'
같은, 이런 배경음을 쓰는 건가요?

P.N. 띠디디─잉

O : 그러게요─. 지금까지는 '두웅'
'두두웅'이었는데 말이죠.
'띠리잉!'은요, 제 안에서는
비파(琵琶)라는 악기 소리가
울리거든요. 하지만 그림은 샤미센을 튕기고 있죠.
그래서 그 부분을 어떻게 소리 잘 섞어서 연출해주시면 좋겠어요, 토에이 애니 님!!

D : 곧질문입니다만 오다 쌤이 그리는 여성은 기본적으로 가슴이 무척 빵빵한데요,
와노쿠니 여성들은 기모노를 입어도 눈에 띄지 않는
옷가슴이잖아요? 이거 궁금해요. 일본 여성은 가슴이
크지 않아도 좋으신가요?   P.N. 치 짱

O : 음─, 이건 말이죠. 예전에 제가 기모노를 잘 몰라서
하던 대로 가슴을 강조하는 일러스트를 그렸던 때에
어느 기모노 전문가 독자 분께서 엽서를 보내오셨지
뭔가요. 기모노는 가슴이 큰 사람이라 해도 일부러
완만한 기복을 이루도록 입는 게, 아름다운 실루엣을 만드는 요령이라며
가르침을 받은 적이 있었던지라, 뭐─ 입는 방식은 그 사람의 자유지만,
저도 겨우 기모노가 아름답게 보이는 라인을 이해할 수 있게 된 결과,
일부러 강조하지 않고 그리고 있습니다! 벗으면 굉장하답니다!!

24

제 923 화
'사황 카이도 VS 루피'

표지 리퀘스트 '어린 시절 루피·에이스·사보가 아틀라스·헤라클레스·미야마로
벌레 씨름을 하는 모습. P.N. 벌꿀 핥는 아이

마을에서
나가~~~
~~~!!!

위험해!!!

27

요코즈나
우라시마와
홀덤 님을
날려버린
놈인데?!!

야,
저거!!

무슨 일이
터진 거지?!
누구야
저 자식은?!

카이도 님이
곤두박질
치신다——!!!

……‥
……!!

묘한
보고를
받았다…

스피드으…!!

어디 가는
거지…?!

평생
잊지 못할
거야요!!

단팥죽과
사과 맛

오라비,
나 오늘의

따라갔어야
했어!!!

내가 꼭
붙어

제길
……!!!

쿠쿠쿠…

삐리잉!!!

루피.

될
남자다!!!

해적왕이!!

너는….

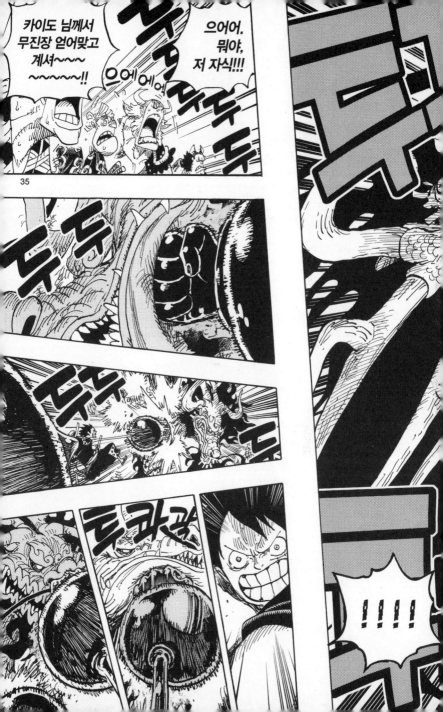

무슨 왕이
된다고…
………?

………
……!!

애송아
……!!!

D : 오다 쓰앵님! 질문이올시다!! 와노쿠니에
등장하는 건물은 모두 둥그스름 하거나,
휘어지는 등 집념이 느껴지는데 말이오만…
씨름판 위에 있는 *츠리야네는

← 떠있지 않소이까??!
P.N. 부장의 개(介)

*츠리야네 : 기둥 없이 천장에 매달아 놓은 지붕.

O : 네. 그거 말이군요. 떠있습니다. 아니, 휘날리고 있죠.
연이거든요. 국기관(国技館) 같은 데서는 실내에서 경기를 하니까 이걸 지붕에서 매달아
두는 거지만 바쿠라 마을의 스모는 실외에서 치르니까 연으로 날려두는 겁니다.
무거울 거 같지만 가볍다구요. 연 이야기로 넘어가면 또 길어지니까 풍선으로
이해해주시면 좋겠습니다!

D : 오다 쌤!! 저 눈치채고 말았어요. 91권 P116
제916화에서 루피가 '요코즈나' 우라시마를
쓰러트릴 때 한 깃발에 적힌 '猛岩斧関(맹암부관)',
이거 1권 제4화에서 등장한 '도끼손 모건'에 대한
이야기 맞죠?! 설마 모건이 와노쿠니에 등장하게
되는 건가요?? 제 말 맞죠??   from 리쿠 군

O : 용케 찾아냈군요—! 그건 다름아닌 모건을 가리키는 게
맞겠죠. '맞겠죠?!'라고 말하는 거 말인데,
그건 배경을 그려주는 스탭의 장난이었으니
저희 스탭 VS 독자 분들인 셈이겠죠. (웃음)
와노쿠니니까 일본어로 된 가게 간판이나 *노보리 같은 것에
글자를 넣을 필요가 있는데 그런 부분까지 제가 지시하기에는

*노보리 :
장대에 매달아
세운 좁고 긴 천

너무 버거운 터라 무슨 글자가 좋을지 고민해 보고 'ONE PIECE'에 관한 단어를
숨겨두라고 부탁해 두었답니다. 같은 컷에도 이미 '踊雀伍関"霻三海関"海四関'
등의 글자가쓰여 있습니다. 이것들의 속뜻은 뭘까요? (웃음)
다른 컷에도 숨겨져 있을 겁니다!!

제 924 화
'뭐?'

표지 리퀘스트 '센토마루가 고령의 곰 부부를 위해 장작을 패주는 모습' PN : 사나닷치

걸판지게 저질렀군, 저 녀석.

………… ……….

빠 방!!

방망이잖냐!!

그야 카이도 님의

하지만 한 방……!!

데리고 도망치는 수밖에 없어…!! 그만한 체력 쯤은

그렇겠지.

예??

……… ……….

놀래라. 숨은 붙어 있는 듯 합니다!!

?!

윽!!

그만두시지!!
트라팔가!!

그토록
작게 가공할 수
있는 기술자는

와노쿠니
말고는
없지.

세상에
퍼진
'해루석'은

이 나라에서
나온 거다.

………!!

저 자식이
또.

'짚꾸러미
칼!!!'

!!

………!!

해루석……
못?!

!!!

구해주세요. 거센 지반 침하 탓에~~~~~!!

지면이 가라앉아 살아서 망정이지 바다까지 꺼지겠어~~~~~!!

오키쿠 씨ㅡ이!!

나의 '숙성 요염의 술법'은 온갖 것을 농익게 하지♡ 후후후♡

그래요! 시노 짱에게 닿은 건 뭐든지 썩는답니다.

말 좀 가려서 해!!!

시노 짱의 '술법' 덕에 살았네요!!

우리도 구해야지ㅡ잇!!!

그럭저럭 레이디는 다 꺼냈군….

각오하고 들어주세요.

ㅡ그리고 지금 상황 말인데…

뭐?!

오…

크르릉…

카이도
……!!

꼬옥…

띠리잉!!

곧장
치료를……!!

이런
어린이를…

이곳은
눈에 띠니
수풀
속으로.

이봐…
말할 수
있겠나…?

오오오오

숨은 붙어
있네요.

호외요~~!!
호외~~~!!

와노쿠니
전역에
퍼져나갔다

루피타로가
쿠리에서 벌인
대판싸움은―

시끌

시끌

와글
와글

52

뭐?!!

와노쿠니에
도착했……

뚱 뚱
땅 땅
탕 탕

오―!!
루피,

다음 날—
와노쿠니
'우동'—.

보다 단단하고
강한 무기를
생산하면!!
도읍이
번창한다!

쳐라, 쳐라!!
철을 쳐라!!

째깍째깍
옮겨!!

쉬고 싶다면
죽여주마!!

철을
쳐라!!

살고
싶다면

너희의
목숨은
오로치
님의 것!!

'생선뼈는
발라서 준다'.
그것 뿐이야.

글쎄다.
규칙은 '하루에
한 마리
독 물고기를
준다'.

뭐가 있길래
그러지?
이 감옥….

'독
물고기'.

애당초
처형하려고 주는
독 물고기로
살아있다나
보더라.

오오.
소문으로 듣던
신참이 들어왔군!!

뭐 상어
악어라도 돼?
왜 친절하게
뼈를…?!

(오키나와 현 · 사사키 씨)

O : P.N. 웃짱 아빠로부터
틀린 그림 찾기를 받았습니다!
감사합니다!!
답은 아래에 있으므로
가리고 해보세요!

정답

⑤ 츠루의 담배파이프 매듭
④ 키자루 왼쪽 눈썹 방향
③ 센고쿠 머리털
② 후지토라 정강 종아리
① 사자키가 모자의 뿔 2개

⑥ 센고쿠의 옷의 수술위치
⑧ 후지토라 옷의 다리 부분 옷깃 접힘 무늬
⑦ 센고쿠 앞수염 길이
⑨ 센가와자기미다리

제 925 화
'공백'

표지 리퀘스트 '페로나가 검냥이들과 함께 미호크의 와인을 몰래 써서
생그리어를 만드는 모습' P.N 노다 스카이워커

까악~~

~~~

~~~ ♡

......

......

아아아아아아아아아아

그랜드 라인
스파다우
왕국 폐허

모리아 님께서
살아계셨어~~~
~~~ ♡ ♡

와아아아아아아

글썽
글썽!!

....
......!!

왜 알려주지
않은 건데, 바보야!!
나한테 대사건인 거
알면서!!!

—그래.
아침에
읽었다….

이거 봐!
다행이야.
모리아 님께서
살아계셨어~~
~~~!!

겟코 모리아와
좀비 군단
습격 사건♡

알 바
아니다……

우~~~엥♡

쓰릴러 바크 해적단
고스트 프린세스
PERONA
페로나

데본!!

투웅!!

뱅글!

도롱!!

데본 님~~~~~!!

꺄악~ ♡

그 녀석이 어슬렁어슬렁 기어들어온 게 잘못이야!!

므룽홋 후후!!

응!!

네놈들, 갈살롬을…!!!

…!!

츄

검은 수염 해적단 6번선 선장
'초승달 사냥꾼' 카타리나 데본
(개개 열매 환수종 모델 구미호)

CATARINA DEVON

시체 좋아하잖아, 당신!!

시체라면 있는데 갖고 돌아갈래?

헉. 헉. 헉. 헉.

아슈라!!

이누아라시.

여기까지 합세나….

……

나 겁먹고 바로 정신을 잃어서 거의 기억이 안나요.

상처가 깊지 않아 천만다행이야!!

고맙기 그지 없군!!

감사 드리야요!!

쿠리 '삿갓 마을'

어렴풋이 말순이가 필사적으로 싸우는 모습 정도만 떠오르고….

적이 그토록 충실한 가신이 되다니… 굉장한 능력이야.

둥!!

(사이타마 현 · 히포아이언 씨)

O : 자, 여러분. 또 보고를 받았답니다. 주간 소년 점프 신년회에서,
　　우솝 갤러리 동료가 있었던 사실이 발각되었어요!
　　2019년 3월 현재 점프에서 연재중인 'neØ;lation'이라는 작품의
　　작화 담당 : 요다 미즈키 씨가 '우솝 갤러리에 실린 적이 있습니다'라고요.
　　'진짜 〜〜?!'라는 소리가 저절루.

← 이쪽! 65권의 도쿄 도(都) 요닷치 씨

이게 연재 작품! ➡

또 프로가 나타났어요ㅡ!
이젠 프로로 가는 등용문이군요!
UGK(우솝 갤러리)!
거기까지긴 한데!!
아니 그래도요,
기쁘잖습니까ㅡ!

요다 미즈키 씨의 'ne Ø;lation' 말이죠!!

천재 소년 해커 만화입니다. 꼭 체크해보고 응원해주세요.
파이팅ㅡ!

D : 오다 선생님, 안녕하세요!! 처음 SBS에 투고했습니다!!
　　조로가 소유한 화도일문자, 3대 귀철, 슈스이 이렇게 세 자루의 칼이
　　만약 인간이라면 어떤 모습일까요?
　　(흔히 말하는 '의인화'라는 것입니다!!)　P.N. 케이게츠

O : 과연.
　　➡
　　다 됐습니다.
　　의인화에
　　성공했습니다.

제 926 화
'죄수 채굴장'

표지 리퀘스트 '박학다식 학과 거북이와 함께 의학 공부 모임중인 로와 쵸파'
P.N. 오난츄르

꽃의
도읍

와노쿠니

띠

리잉!

시끌

시끌

북쪽 묘지의
귀신 소동
바로 그 속보
~~~~!!

원통하도다

시끌

귀신이
나타났다
나타났어♪

또
나타났다——!!

빠밤!!

범인은 아시다시피
'살인귀 카마조'!!
뻔히 아는 데도
잡지를 못 해!!!

2구
8조에서는
살인귀 소동!!

정의의 편인가 악인인가?! 녀석의 정체는 대체 무엇일지?!

빈민촌에 돈을 뿌리지!!!

갑부한테 도둑질해서

※축시(丑時) 셋 때 출현하는!! '축시 셋 꼬마'도 또 나타났어!!

까악—— 우시미츠 님 〜〜〜〜♡

빡 밤!

와글 와글

※축시 셋 : 밤 2시부터 2시 반

?

특종 발간입니다.

자— 어서 사가십쇼.

웅성 웅성

예이, 감사함다!!

한 부 주세요♡

부르륵..

!

스윽

......

시끌 시끌

누구지......?!

'그믐달'.

시끌

......

!! 시끌

으아아 아아앗 ~~~!!!

……!! 죄… 죄송합니다. 굼벵이들!!

그럼 다음 배 갖다 놔!!

쿠쿵! 쿠쿵!!

잠깐 잠깐! 더는 못 실어!!

500까지는 셌는데요…. 돌 몇 개 옮겼냐.

일 했잖아. 밥 내놔──!!

수갑 벗기면 어떻게 되는 거람, 저 녀석들………!!

쿼엉!! 허걱──?!

해루석은?!!

힘 빠진 게 저거라고?!!

달려 있습니다!!

93

D : 조 편에서 모모노스케가 로저와 만난 적이 있다고 하길래
모종의 이유로 아이가 돼버린 성인이며, 아이라는 입장을
이용해서 나미 누님이나 로빈 양에게 어리광을 부리는 줄
알았습니다만, 시간을 넘어서 온 실제 연령 8살이라 함은,
그냥 응큼한 꼬맹이라고 봐도 되는 거겠죠?!

　　　　　　　　　　　　　　　　　P.N. 타쿠미소

이 몸도
로저 일행과
만났으나
기억은 애매하다.

O : 생각해보세요. 님이 8살 소년이던 시절을.
그렇습니다. 응큼합니다. 소년은 전부 응큼한 겁니다!!

D : 건전한 질문입니다! 남자들이 왜 나미의 하인이 되고 싶어
하는지 이해했습니다. 큼직한 수수경단 2개가 달려 있어서
그런 거 맞죠?　　　　　　　　　P.N. 사나닷치

O : 썩 돌아가, 사나다.

D : 909화 와노쿠니에 등장하는 목수 두목,
제7권 SBS에서 소개된 적 있는 목수
'미나토모 씨' 아닌가요?

　　　　　　　　　　　　P.N. 얏치

O : 그렇죠!! 당시에는 후샤 마을에 있는
술집 문이 박살났는데 고쳐져 있어서
누가 한 거지?! 라는 식으로 소개했던
'목수 미나토모' 씨, 그 사람이 '신세계'의
쇄국국가 와노쿠니에 있다니! 이거 이상한데요?!
그래요, 동일 인물이 아닙니다!
같은 성씨에 혈연 관계도 있습니다.
아무래도 몇십 년쯤 전에 와노쿠니 배가 '이스트 블루'에 도달했다는
사실이 있다는 듯 합니다.
그때의 자손이 여러분께서도 아는, 어떤 인물입니다만....
이건 본편에서 나올지도 몰라 아직 말 못 합니다.
스토리 본 줄거리가 아닌, 자잘한 이야기지만요.

제 927 화
'카무로 오토코'

표지 리퀘스트 '가프가 곰과 연어를 중재하는 모습' P.N 노다 스카이워커

저 목수도…!!

슬쩍

그나저나 이거 큰일이야…!!

삐삐잉!

삐잉!

두…!! 두…!! 두…!!

두구두구 쿵쾅

어버버 으버끄헉.

야, 다 먹어!!

네가 고의로 떨어트린 소바!!

두고 보자!! 후회하게 해주마!!!

그 많던 행렬이… 사방팔방 흩어져선…!!

봐봐.

이거야 뭐 뻔한 건데… 일 저질러도 괜찮은 건가?

우후후… 위험한 사람들에게 손 댄 건지도 몰라….

딱 봐도 위험한 놈 불러오는 거잖아 이거!!!

휑 뎅그렁…!!

'오'?

앞에 '오'를 붙여 봐!

토코야.

너, 이름은?

하하해!! 나까지 웃음이 다 나오네.

외우기 쉽다는 말 자주 들어!! 후후휘!!

재밌어——? 아하하하.

헛!!

푸흡——!!

남자 아닌데?!! 아하하하.

오토코 (남자)?

오토코 맞지만!!!

※오이란 : 유곽의 고위 기생

그렇지 참! 나 또 여기 길을 지날 거야!! 오늘 ※오이란 행렬이 있거든!

큰일이다. 진짜 지각이야!! 대지각!! 아하하하.

그래, 또 와라!

아— 맛있었어!! 잘 먹었습니다!!

?

토코, 너 혹시 카무로니?

응!!

보고 가ー!!

오이란은 예쁘니까

벌써 시작했겠다!! 서둘러야지!!

맞아!! ※카무로야!!

잘 있어!! 또 올게!!

※카무로 : 견습 기녀

오이란? 카무로?

소문으로 듣던 오이란 행렬이 여기를 지난단 말이지………?!

토코 저 아이, 참 밝고 귀여워.

크크큭!! ………!! 아ー 재밌었다.

오로비, 네게 낭보가 있다!!

으왁ーー!! 어디서 텨나온 거야, 초롱 할멈~~~~~!!

누가 주름 짜글짜글 초롱 할멈이라구? 어렴풋이 비춰주랴, 망할 꼬마들!!

꽃의 도읍을 뛰어다녔지 뭐냐!!

!! 스승님……!

피리잉♫

'오이란' 이란!!

쇼군의 연회가 열린다!!

오늘은 오로치 성에서

와아아아아....

......

——자, 들려오는군!

그녀를 둘러싼 환성과 흥에 들뜬 장단 소리가 ♪

삐이잉!!

꺄아아!

그렇지 그렇지, 오로비! 축하하마! 네게도

같은 자리에 지명이 왔단다!

네!?

오이란의 행렬은 성으로 향하는 것이지!!

아까 그 아이 '카무로'란 오이란을 섬기는 소녀를 말한다.

시끌 시끌

와글 와글

네에…! 몹시 기대되는군요 ♡

굉장해, 로빈 양 역쉬이~~~~~!!

그렇죠

염원이었잖은고, 쇼군 오로치 님과의 대면이!!

삐이잉!!

곧장 준비하러 돌아가자꾸나!

오이란~~~!!

와아아아아아아

이쪽 좀 봐줘요——

코무라사키 님 ♡

짜악!

와!

행차시다~~~

짜앙 ♪♪

짜앙

코무라사키 다유의~

으어—. 눈부셔서 못 보겠어!!

쿄무라사키 님 통과로 인해 실신 · 출혈 · 시각 장애!

긴급 구조다! 어서 들것을 20개 쯤!

욘석 ♡ 토코, 걱정했잖니.

늦고 말았네요!! 아하하.

알겠다.

에헤헤. 언니, 미안해요.

짜악!

와! 짝!

후후

제 928 화
'오이란 코무라사키 등장'

표지 리퀘스트 '히어로 쇼에서 아이들에게 대인기 프랑키' P.N 파이어 야마모토

밥을 안 먹어서 힘이 안 나는 거야.

줄게.

아….

내친 김에 한 일이니 신경쓰지 마.

식사 교환권!! 이… 이런 거 들킵니다!!

뾰족 뾰족

꼬겟!!

루피 공…!!

이상한 녀석이네!!

이히히!!

감사드림다.

감사드림다.

소… 소중히 쓰겠슴다……!!

또롱!!

굽신 굽신 굽신 굽신

파수꾼도 모자라 해루석 상자에 들어있다네.

관리가 참으로 엄중하고

그 '수갑 열쇠'를 찾긴 했다만

기다리게 해서 미안하네.

라이조! 어때?

꼭 손에 넣고 말 터이니 좀만 더 참으시게.

와글 와글

코무라사키,
농담이지?!

찝적거렸다니…
그게 웬….

?!!

너구만….
요즘 코무라사키한테
찝적거린다는
영감이란 게………

끄하하하

모든 걸
내던졌다!!
이제 다
사라졌어!!!

나는
진심으로
……!!

방해되걸랑,
영감.

가게 앞에서
곡소리 내면

뺙

어이쿠야,
이게
몇 명째지?

널 위해서!! 모든 걸
잃었단 말이다아!!!

끄렁

끄렁

볼일
없거들랑

빠각!!

!!

히익.

뽀각!!

꺼져버려,
색골 영감!!

하하하하하하

으허어어엉
~~~~!!

까하하
하하하!!

멈춰!! 쿨럭!!
돌아갈
테니…!!

123

좌─앙

와!!

좌─앙

코무라사키…
쿨럭.

……!!

돌아갈
테니까아
~~~!!

눈이 부셔!!
눈이!!

하아,
아리따워♡

오오…!!

저 영롱함
좀 봐!!

까악——
——♡
핵미녀~
~~~!!!

코무라사키이
~~~~~!!!

……………
…코무라사키.

소녀에게
남자란 돈을
바쳐오는
개……!!

돈이 없으면
가치는 없어.

?!!

눈꼴
사나와서
못 봐주겠네….

준 걸
되돌려
달라니….

집도
가족도
다 돈으로
바꿨다!!

맡긴 돈
내놔라!!
도둑년아!!!

농땡이 이유가 될 수 있나?! 프라퉁이!!!

오이란이 이쁜이였다는 게

와노쿠니 '꽃의 도읍'―.

헤이, 사부!!

오 호!!

일단 내 체면이란 게 있잖나, 멍텅구리 같으니!!

이해는 간다만!! 너야 뭐 남들 10배는 일하니까.

죄송하게 됐구만요!!

살짝그니 농땡이 피워도 괜찮다마는.

여자가 참하지 뭡니까~~~~♡

헤이!!! 죄송하게 됐수다.

전설의 목수 우두머리
미나토모
카이도의 저택을 지은 남자

그거 말이야, 생각났는데 ………

――근데 네가 누차 얘기했던

오니가시마의 '저택 도면'이 보고 싶다던 거 말인데…

천썩!

10년 쯤 전에… '전당포'에 맡겼지 뭔가!!

오오?! 드디어?!

─그치만 라쿠다 씨가 비싸게 팔리겠다며 갖고 가버려서!

갖고 있었죠!

하아. 하아.

그랬더니 토키지로 씨가….

잘 몰라서 냄비 깔개로 썼는데.

라쿠다──!!

탁다다다

토키지로!!

'쿠리'에서 왔다는 얘기를 했어.

라쿠다는 나야!! 그 도면 탓에 별꼴을 다 봤지.

웬 사내한테 빼앗겼다고!! 얼굴을 가린!!

응?

헉… 헉…!!

쿠리?!

라쿠다? 동물?!

우당탕

이 '쿠리'에 있다는 말인가…?!

이럴 수가! 카이도의 저택 도면이

나 여기서 두 손 들었다!

야, 킨에몬 ……!!

'쿠리' 어떤 폐촌.

그렇다나 봐. 나 어떻게 하면 좋나.

……
……

개국 따위 바라지도 않겠지?

끄흐흐 흐흐….

'꽃의 도읍' 오로치 성

너희도… 안 그런가?

중개인 '조커'

참으로 이상한 얘기로다… 안 그런가?

끄흐흐 흐흐….

해적한테서 사겠다는 거니까.

해적과 싸우기 위한 무기를

도플라밍고가 사라지고………!!

초조할 것이야…….
약점을 잡은 건 이쪽이니…!!

방패막이를 잃은 그대들은

— 그럼에도……!! 터무니없는 무리난제.

……

나와 직접 교섭할 수밖에 없어졌다….

원하는 것이 있다면 '더욱 강한 힘' ………!!

끄흐흐흐….

우리 와노쿠니는…… 자급자족이 가능하다 말일세.

온 백성들이 행복해 보이지 아니하던가?

이번에는 '전함'으로 손을 썼지만….

텡잉!!

타앙!!

그건 불가능해!!

다음은 'Dr. 베가펑크'다!!!

너희가 떼지어 덤빈들 우리나라를 함락시키지 못해.

쿠쿠쿠쿠쿠

가능한지 불가능인지는 묻지 않았다.

………
……!!

천룡인? 해군? 우리가 그것을

내 뒤에는 카이도가 있다!!!

겁내지 않는다는 것 쯤은 알겠지.

오늘 밤
상차림은
무엇
이더냐.

을 먹을
기분이
아니다.

맛있는
채소를

필요
없다!!

회는
참치를

즐겨도
좋다!!
여기는
와노쿠니!!!

자아,
다음 주는
'불 축제'다!!

전초전을
벌려보자꾸나!!

와노쿠니 쇼군
쿠로즈미 오로치

（오이타현·오십대 씨）

D : 오다 선생님!! 부하 술잔을 받은 7명이 좋아하는 음식과 싫어하는 음식을
알려주세요!!　　　　　　　　　　　　　　　　　　　　　P.N. 토끼 공주

O : 예이—.

캐번디시
좋아함 : 장미
싫어함 : 라멘

바르톨로메오
좋아함 : 다goza
싫어함 : 야채

돈 사이
좋아함 : 사랑하는 아내의 도시락
싫어함 : 게

이데오
좋아함 : 도널 케밥
싫어함 : 돼지 고기

레오
좋아함 : 호박
싫어함 : 매운 것 전부

하이루딘
좋아함 : 미트볼
싫어함 : 셈라

올럼버스
좋아함 : 삶은 달걀
싫어함 : 변덕 요리

D : 시류가 투명투명 능력을 손에 넣었는데 말이죠,
그 또한 여탕을 훔쳐보나요?　　　　P.N. 아푸

O : 남자니까요. 그야 물론. 당연히 하겠죠!!

D : 저와는 상관없는 이야기올시다만,
오다 선생께선 젊으신데 '코가라시 몬지로'를 아시는지?
거 다름 아니라, 루피가 긴 이쑤시개를 입에 물고 있길래
문득 물어보고 싶어졌소이다. 미안하게 됐수….
　　　　　　　　　　P.N. 히어로 길 '캡틴' 킥(57세)

©東映

O : 57세 되시는 분께서 보내주셨습니다! 맞습니다!
옛날 영화 중에 '코가라시 몬지로'라는 작품이 있었는데요,
원작은 소설입니다만 언제나 이쑤시개를 물고 있지요!
바람총으로 사용한다든지 멋지구려해요.
위험하니까 따라하지 마세요! 아, 시대극 소재라니 말인데
'말뚝잠 쿄시로'도 '잠자는 쿄시로'라는 소설에서 따온 거예요.

146

제 930 화
'에비스 마을'

표지 리퀘스트 '우루지와 크래커가 돌고래를 타고 경주하는 모습' P.N. 오—오—

도읍의 못된 부자들한테 돈을 훔쳐

한밤중 ※축시 셋 때 나타나

어디 사는 누군지는 모르지만…

축히 세헷?

가난뱅이 동네에 그걸 냅다 뿌리고는 사라진다우!!

※축시 셋 : 밤 2시부터 2시 반.

——그래서 오늘은 다같이 '식사'를 샀다구. 우후후후!!

웃는 자에게 복이 오나니!!

고마울 따름이라니까——!! 하하하하!!

대관절 누구일까.

150

한 잔 마셔 봐!! 낭인 아저씨도!!

시끌 시끌

그 돈으로 샀어!!

투명한 물이야!!

?

!

안 돼.
포탄이
튕겨나가!!!

콰앙!

콰앙!!

기다려라,
밀짚모자~
~~~~~!!!

내가 왔다,
카이도!!

하~~~~~
하하하하하!!

제우스!!
네 녀석도
썩 돌아와!!!

BIG MAM PIRATES 빅 맘 해적단

링링의
자식놈들도
함께인가.

제법
올라온 듯
합니다!!

와
끄
아

폭포를
올라올
줄은

예상
밖이어서!!!

뭣들 하고
자빠졌나,
멍청이들!!

쿵버어

도착했다
——!!!

상륙시키면
전면 전쟁이
벌어진다!!!

어!!

'와노쿠니'~
~~~~!!!

155

하지만!!
바다 위에서는
준비된 요격이
없습니다!!!

하하하하~
~~~~!!!

마~~
~~~~
마마마마!!!

같은 시각—
'꽃의 도읍'.

계기야 어쨌든 너희가 발각됨으로써

쫓기는 건 '소바집' 이거든?!

너도 하나 해치웠잖아!!

야, 왜 우리까지 도망쳐야 하는데?!!

헉. 헉.

하아 하아.

일당 전원에 대한 대탐색이 시작될 거다!!

와!

그건 안 돼!! 나미 누님과 로빈 양이 위험해!!

타 다다다 다 다 다 다…!!

무셔라!! 루피는 그런 말 안 한다구!!

나는 가차없어.

너희!! —만약 붙잡혀도 사무라이나

밍크족에 대해 불지 마라. 아무 말 없이 잠자코 죽어.

야, 너 뭐야. 선장인 척 굴고!!

나는 붙잡히면 죄다 불고 살 테다!!

상처 하나라도 '결전'에 있어 전력 다운이다. 지금은 싸우지 마!!

100% 이길 수 있다면 말이지.

얼굴 가리고 싸우는 건 어때?!

꺄악——!!!

레이디!!!

퍽도 사이 좋다!!

앗싸—!!

까불지 마!! 짜샤!! 그럼 전력으로 지켜줄게!!

무슨 소동이지?!

어?!

꺄아아앗

깡악 응앗

집?!!

우리는
관계
없다구!!

콰장창!!

와아아아아

와아

멈춰 줘!!

가게가…
우리 도읍에서
내쫓기겠어.

소바 팔기는
파는데……!!

'소바
가게'다!!

상고로~~
~~~!!!

'쿄시로
일가'에
손찌검을 한
바보를!!

'상고로'라고
큰 소리로
외쳐라!!

다른
'소바 가게'를
불어!!
아니면…

썩 튀어 나와,
젠장할~~~
~~~~!!

'18번 소바 상고로'!!

저 녀석이다!!

정말로 나타났어!!

와장차앙!!

?!

와아아아아아아아아아!!

알겠다. 금방 가마.

히히히!! 나타났나. 사람 애먹이긴.

음~~~~~.

…공룡 능력자인가………!!

아— 여긴 페이지원!!

6조 2구에서 표적을 발견!!

드레이크와 호킨스가 오면 끝장이다!!

기이하게도 이 녀석은 나를 몰라.

무슨 짓이냐, 상고로, 나서지 마!!

젠장, 이제야 튀어 나오다니!!

나는 이미 끝장이라고!!

D : 오다 쌤, 부탁이 있어요! 애독자 누구한테든
　　'나미와 로빈의 미래가 보고 싶다'는 요청이 와도,
　　저어어어어어얼대로 그리지 말아 주세요!
　　부탁드려요!!! 　　　　　　　　　　 P.N. 420 랜드

O : 음.... 그냥 척하는 거죠...? 음.......

AGE40

어른이
되거든
다시오렴 ♡

AGE60

나?
벌써
40은
넘었다♥

오야아아아!!

AGE40

돈이리
내라고
했지!!!

무슨 일이 생긴
미래

AGE60

마법
항아리
사지
않을래?

네, 나미 그렸습니다ー! 로빈은 다음 언젠가 리퀘스트가 있으면.

D : 오다 선생님 질문입니다!! 와노쿠니에서 상디의 턱수염 선 하나가 사라진 건,
　　아버지 저지와의 결별을 나타내는 건가요?

O : ➡

아! 진짜네! 깜빡 잊고 있었네요!
아니, 싹 밀어버렸네! 상디 녀석!
다음번부터 꼭 그릴게요!
아니, 상디가 되돌려놓을 거라고 봐요!
아! 시간 됐네요!! SBS 다음 권에서 또 봐요!!

제 931 화
'소바 마스크'

표지 리퀘스트 '나미가 내린 비에 기쁜 나머지 물웅덩이에서 탭댄스를 추는 개구리들'
P.N. 노다 스카이워커

음~~~~?
무슨 통조림인가?

와아아아 아 아아

안성맞춤이겠지.

'변장'하기에는

피

잉!!

마을 따위 내버려두면 될 것을.

어쩔 작정이야, 상고로!!

바보 아냐?!
일부러 죽으려고?!

까악 와악

소바 주인이 진짜 나타났다고?!!

안 그러면 마을이 박살났을 거야!!

꽈광!!

자존심을 버리면

'사황'과의 싸움이야…. 고집 부리다

구할 수 있는 목숨이 있을지도 모르지….

남을 구하지 못할 상황이 있을지도 몰라.

―만약 이놈에게 그런 힘이 있다면 말이야!!

그림 이야기 '바다의 전사 소라'.

그에 적대하는 악의 군단 '제르마 66'.

아니야. 옛날 신문에 실렸던

너무 빨라 안 보여!!

어?! 어디에서?!

세다!!

모습을 지울 수 있는 성가신 전투원!!!

콰장창!!

깍

와

두

웅!!

스-----...

그 멤버 '스텔스 블랙'은

171

──이 슈트 뭐야?!! 내가 사라졌어?!

너무 빠삭 하잖아!!

눈에 비치지 않게 된다!!

온몸에 배경을 투영시켜

꼬리를
드러내라!!!

!!!

푸콰아앙!!

173

깍!

다소 아프지만
내구성은 있군.

으헉ㅡ.
괜찮냐,
상디!!!

퍼어엉!!

퍼어...엉

퍼엉!!

ㅡ마을이
못 버티겠어
….

과연
'고대종'
……!!!

......

한편
'오로치
성'.

무얼 찾고
있으시온지?

'포네그리프'를
만들어낸 나라…
돌은 반드시
있어.

수백 년이나
닫혀 있던
나라…

오래된

수상한
방.

휘 휘 휘!

──어디
숨겨진
문이라도……

리 잉 !!!!!

와노쿠니 쇼군 직속 닌자부대
'오로치 오니와반슈'

거짓말!! 어느 틈에.

닌자를 모르시는 것이오?

비상식!!

닌자가 있건만 미심쩍은 행동을….

쿠리
'쿠리가하마'

루피
오라비가
걱정돼야요.

──그러니까
괜찮다니깐.
타마! 닌닌!!

청써─엉

……사람?

──그치만
우동 감옥에서
빠져나온 자는
없다고
스승님께서….

타얏──!!
얍─!!

닌나력!!

닌!!

따악 따악!

이 몸이
강했다면
당장이라도
구하러 갈
터이건만.

확실히
라이조의
연락도
늦군.

헛─!!

거인…보다는
작지만…
무척 큰 인간이군!!

178

무엇이외까?!
저것은!!
닌닌!!

어얏?!

181

〈원피스〉 93권을 기대해 주세요!!

CHAMP COMICS

원피스 92

2023년 11월 23일 초판 인쇄
2023년 11월 30일 초판 발행

저자 : EIICHIRO ODA
역자 : 길명
발 행 인 : 황민호
콘텐츠1사업본부장 : 이봉석
책임편집 : 조동빈 /정은경
발행처 : 대원씨아이(주)

ISBN 979-11-6894-538-8 07830
ISBN 979-11-362-8747-2 (세트)

서울특별시 용산구 한강대로 15길 9-12
전화 : 2071-2000 FAX : 797-1023
1992년 5월 11일 등록 제1992-000026호

ONE PIECE

www.dwci.co.kr